清康熙四十年本

芥子園畫譜

第二集 卷二 金陵沈心友刊

青在堂畫竹淺說

畫法源流

李息齋竹譜自謂寫墨竹。初學王澹遊。得黃華老人法。黃華乃私淑文湖州。因覓湖州眞蹟。窺其奥妙。更欲追求古人鈎勒著色法。上自王右丞。蕭協律。李頗。黃筌。崔白。吳元瑜諸人。以爲與可以前。惟習尚鈎勒著色也。有云五代李氏。描牕上月影。剏寫墨竹。考孫位張立墨竹已擅名於唐。自不始於五代。山谷云。吳道子畫竹。不加丹青。已極形似。意墨竹卽始於道子。二者則唐人兼善之。至文湖州出。始專寫墨。眞不異杲日當空。爝火俱息。師承其法。歷代有人。卽東坡同時。猶北面事之。其時師湖州者。並師東坡。一燈分焰。照耀古今。金之完顏樗軒。元之息齋父子。自然老人。樂善老人。明之王孟端。與夏仲昭。眞一花五葉。燈燈相續。故文湖州。李息齋。丁子卿。各立譜以傳厥派。可謂盛矣。至若宋仲溫畫硃竹。程堂畫紫竹。解處中畫雪竹。完顏亮畫方竹。又出乎諸譜之別派。若禪宗之有散聖焉。

畫墨竹法

畫竹必先立竿立竿留節稍頭須短至中漸長至根又漸短忌擁腫近枯近濃均長均短竿要兩邊如界節要上下相承勢如半環又如心字無點去地五節則生枝葉畫葉須墨飽一筆便過不宜凝滯其葉自然尖利不桃不柳輕重手相應个字必破人字筆必分結頂葉要枝攢鳳尾左右顧盼齊對均平枝枝著節葉葉著枝風晴雨露各有態度翻正掩仰各有形勢轉側低昂各有意理當盡心求之自得其法若一

枝不妥一葉不合則爲全璧之玷矣

位置法

墨竹位置榦節枝葉四者若不由規矩徒費工夫終不能成畫凡濡墨有深淺下筆有重輕逆順往來須知去就濃淡麤細便見榮枯生枝布葉須相照應山谷云生枝不應節亂葉無所歸須筆筆有生意面面得自然四面團欒枝葉活動方爲成竹然古今作者雖多得其門者或寡不失之於簡略則失之於繁雜或根榦頗佳而枝葉謬誤或位置稍當而向背乖方

或葉似刀截或身如板束麄俗狠籍不可勝言其間縱有稍異常流僅能盡美至於盡善良恐未暇獨文湖州挺天縱之才比生知之聖筆如神助妙合天成馳騁於法度之中逍遙於塵垢之外從心所欲不踰準繩後之學者勿陷於俗惡知所當務焉

畫竿法

畫竿若只畫一二竿則墨色且得從便若三竿之上前者色濃後者漸淡若一色則不能分別前後矣後稍至根雖一節節畫下要筆意貫穿全竿留節根梢

宜短中漸放長每竿須要墨色勻停行筆平直兩邊圓正若擁腫偏邪墨色不勻間有麄細枯濃及節空勻長勻短皆竹法所忌斷不可犯頗見世俗用蒲絟槐皮或叠紙濡墨畫竿無問根梢一樣麄細又且板平全無圓意但堪發笑不宜倣效

畫節法

立竿既定畫節爲最難上一節要覆蓋下一節下一節要承接上一節中雖斷意要連屬上一筆兩頭放起中間落下如月少彎則便見一竿圓混下一筆看

上筆意趣承接不差自然有連屬意不可齊大不可齊小齊大則如旋環齊小則如壘板不可太彎不可太遠太彎則如骨節太遠則不相連屬無復生意矣

畫枝法

畫枝各有名目生葉處謂之丁香頭相合處謂之雀爪直枝謂之釵股從外畫入謂之垛叠從裡畫出謂之迸跳下筆須要遒健圓勁生意連綿行筆疾速不可遲緩老枝則挺然而起節大而枯瘦嫩枝則和柔而婉順節小而肥滑葉多則枝覆葉少則枝昂風枝

雨枝觸類而長亦在臨時轉變不可拘於一律也尹百郢王隨枝畫節既非常法今不敢取

畫葉法

下筆要勁利實按而虛起一抹便過少遲留則鈍厚不銛利矣然寫竹者此為最難虧此一功則不復為墨竹矣法有所忌學者當知麄忌似桃細忌似柳一忌孤生二忌並立三忌如叉四忌如井五忌如手指及似蜻蜓露潤雨垂風翻雪壓其反正低昂各有態度不可一例抹去如染皁絹無異也

勾勒法

先用柳炭將竹竿朽定再分左右枝梗然後用墨筆鈎葉葉成始依所朽竿枝與節一一畫出俾枝頭鵲爪畫與葉連要穿釵鰥避方見層次竿之前後墨分濃淡鈎出前宜濃後宜淡此乃勾勒竹法其陰陽向背立竿寫葉與墨竹法同可類推之

畫墨竹總歌訣

黃老初傳用勾勒東坡與可始用墨李氏竹影見橫牎息齋夏呂皆體一幹篆文節遡隸枝草書葉楷銳傳來筆法何用多四體須當要熟備絹紙佳墨休稠筆毫純勿開頭未下筆時意在先葉葉枝枝一幅週分字起个字破疎處疎墮處墮中切記莫糊塗疎處須當枝補過風竹勢幹挺然墮處逆幹須偏烏鴉驚飛出林去雨竹橫眠豈兩般晴竹體人字排嫩一叠老兩釵先將小葉枝頭起結頂還須大葉來寫露竹雨彷彿晴不傾雨不足結尾露出一梢長穿破个字枝頭曲寫雪竹貼油袱久雨枝下垂伏染成鉅齒一般形揭去油袱見氷玉一寫法識竹病筆高懸勢

要後心意疎懶切莫爲精神魂魄俱安靜忌杖鼓忌對節忌挾籬忌邊歷井字蜻蜓人手指督眼桃葉并柳葉下筆時莫要怯須遲疾心暗訣寫來敗筆積成堆何怕人間不道絕老幹參長稍拂歷氷雪操金玉風晴雨雪月烟雲歲寒高節藏胸腹湘江景淇園趣娥皇詞七賢句萬竿千畝總相宜墨客騷人遭際遇

畫竿訣

竹幹中長上下短只須彎節不彎竿竿竿點節休排比濃淡陰陽細審觀

芥子園畫譜
卷二
一二

點節訣

竿成先點節濃墨要分明偃仰須圓活枝從節上生

安枝訣

安枝分左右切莫一邊偏鵲爪添枝杪全形見筆端

畫葉訣

畫竹之訣惟葉最難出於筆底發之指端老嫩須別陰陽宜參枝先承葉葉必掩竿糞葉相加勢須飛舞孤一迸二攢三聚五春則嫩篁而上承夏則濃陰以下俯秋冬須具霜雪之姿始堪與松梅而爲伍天帶

晴兮。偃葉而偃枝。雲帶雨兮。墜枝而墜葉。順風、不一、字之排。帶雨、無人、字之列。所宜、掩映以交加。最忌、比聯而重叠。欲分前後之枝。宜施濃淡、其墨。葉有四忌。兼忌排偶。尖不似蘆。細不似柳。三不似川。五不似手。葉由一筆。以至二三重分叠个。還須細安間以側葉。細筆相攢。使比者破、而斷者、連。竹先立竿生枝、點節。考之前人、俱傳口訣。竹之法度。全在乎、葉。因增舊訣。爲長歌。用廣前人之法則

發竿點節式

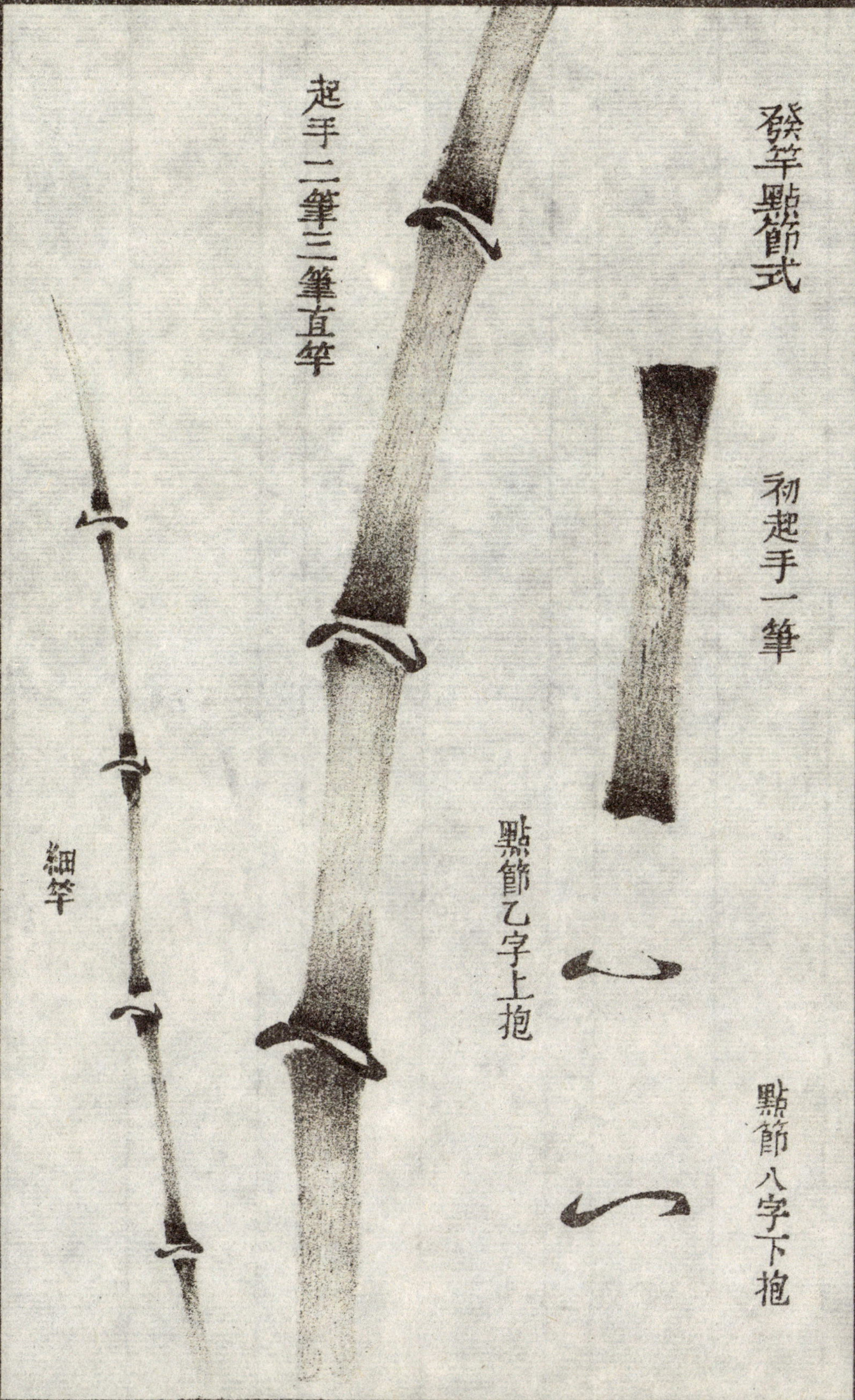

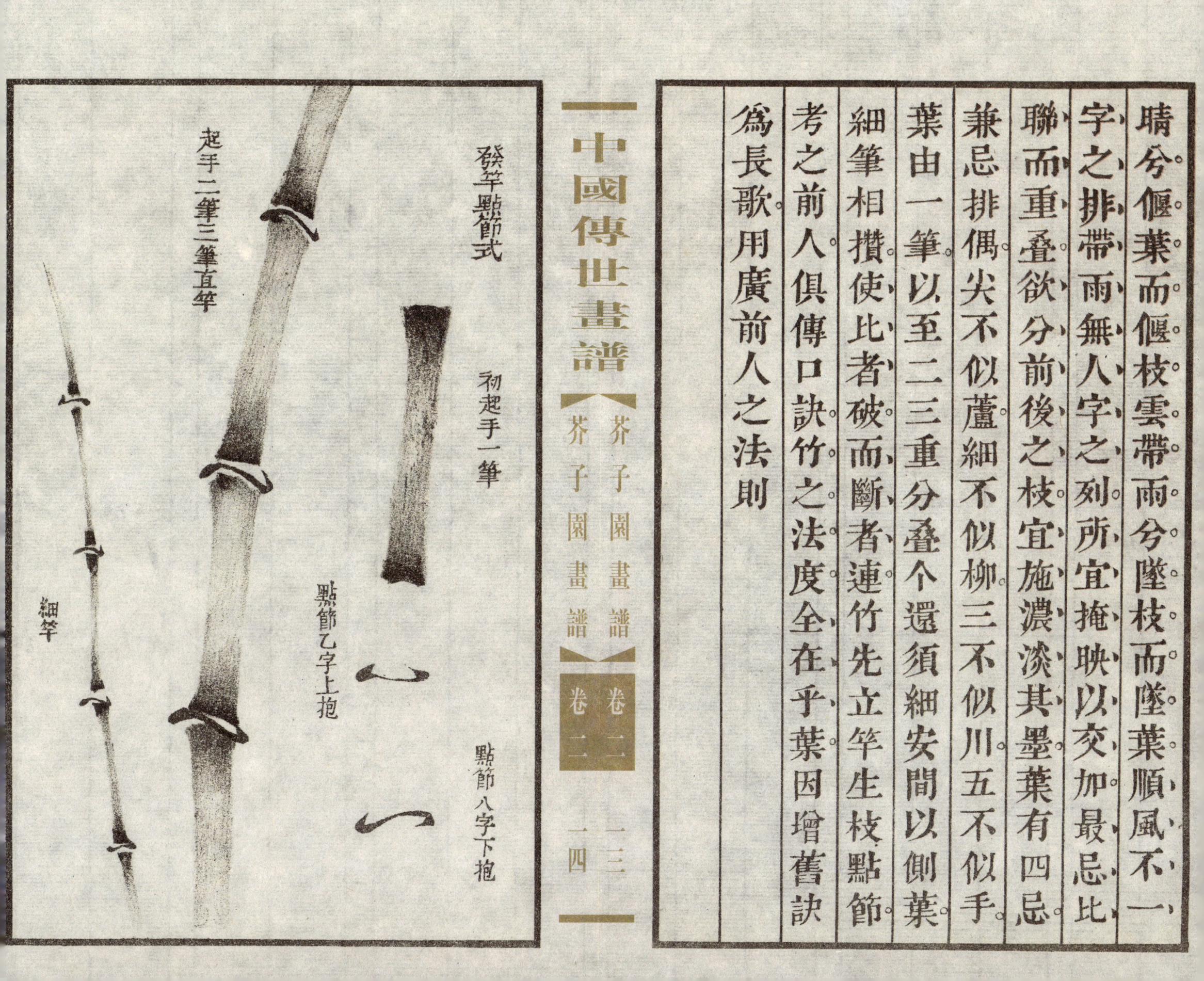

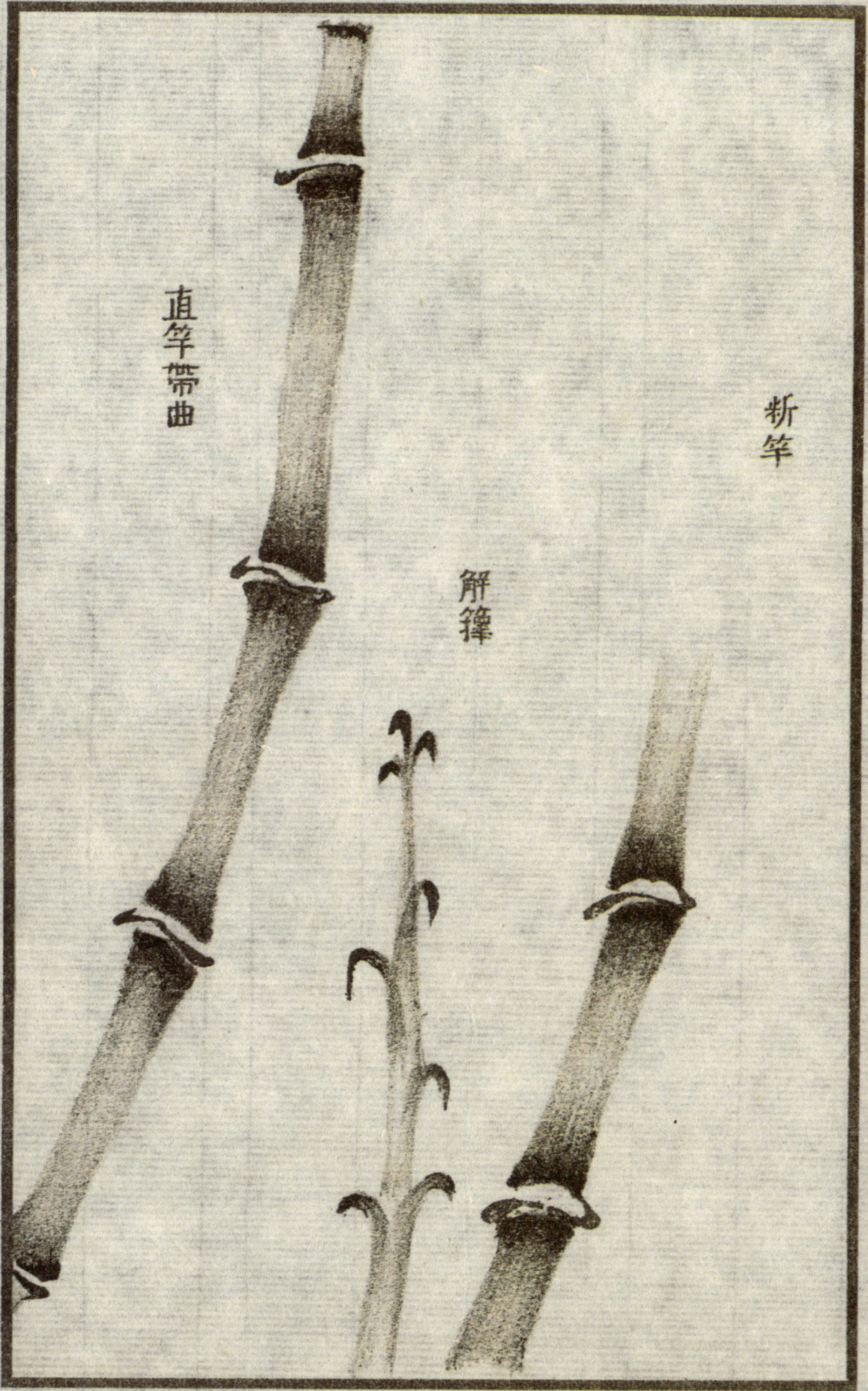
直竿帶曲
斫竿
解籜

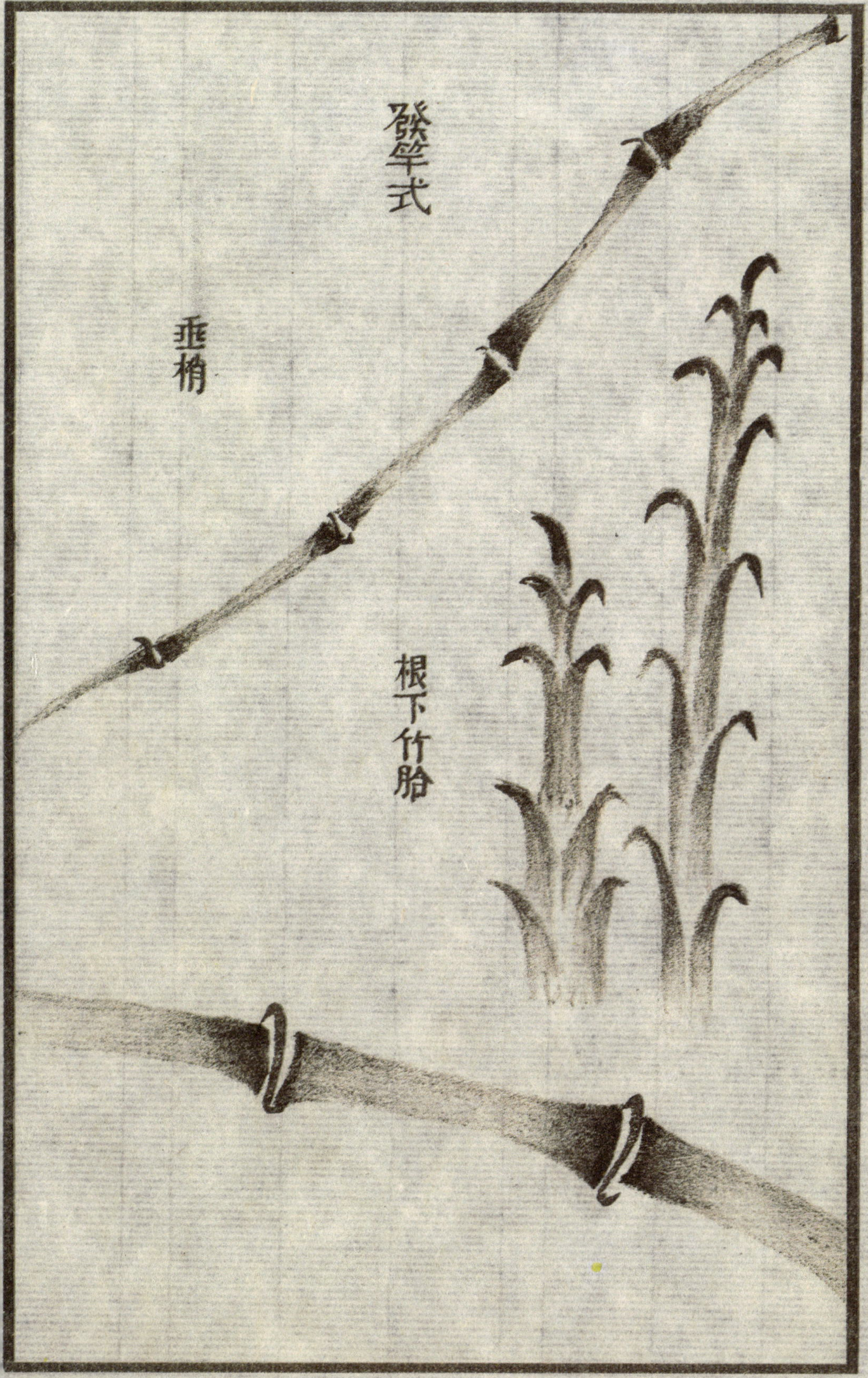
發竿式
垂梢
根下竹胎

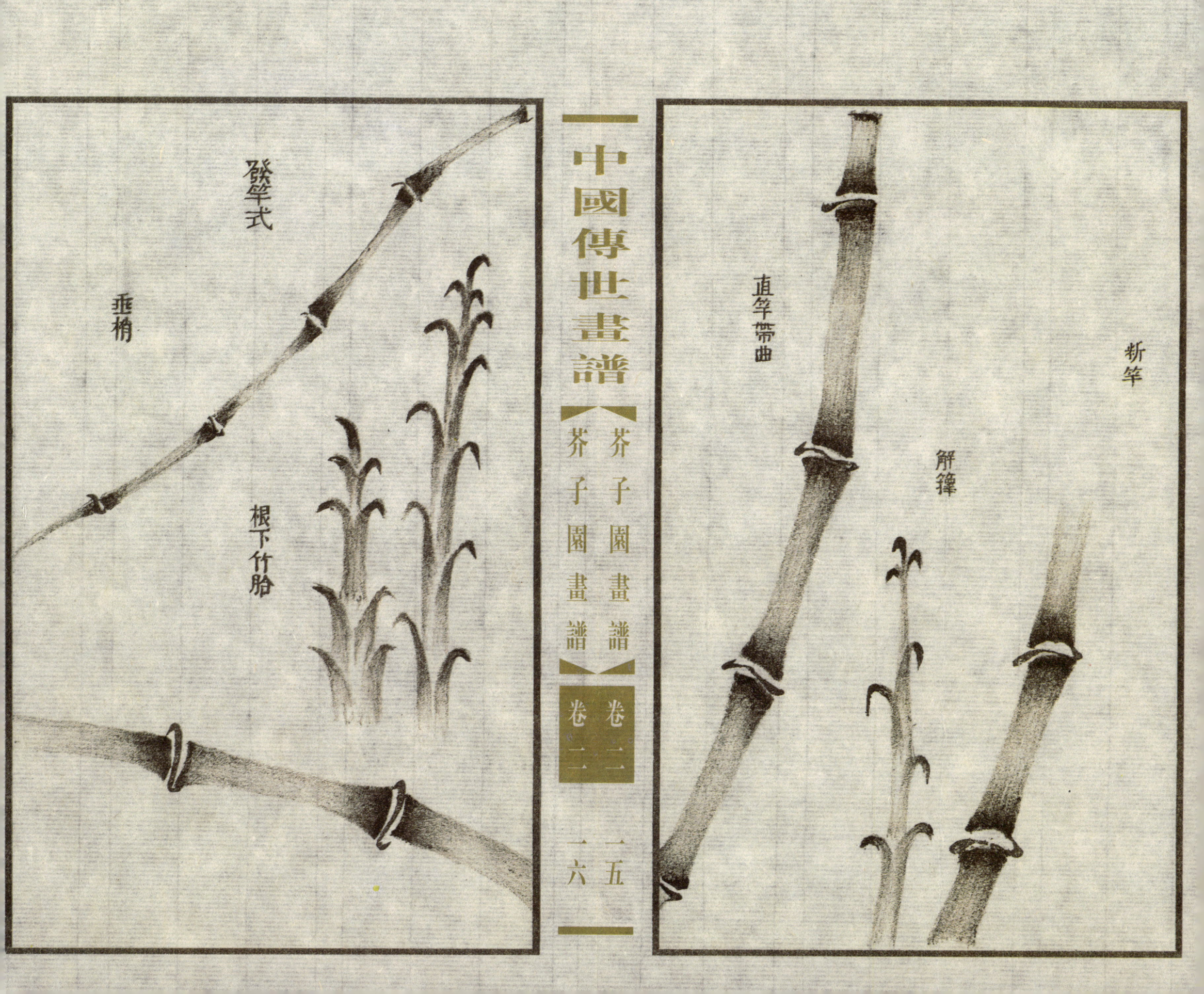

中國傳世畫譜 【芥子園畫譜】 卷二 芥子園畫譜 卷二

生枝式

頂梢生枝

起手鹿角枝

鵲爪枝

魚骨枝

露根

根下筍鞭

橫竿

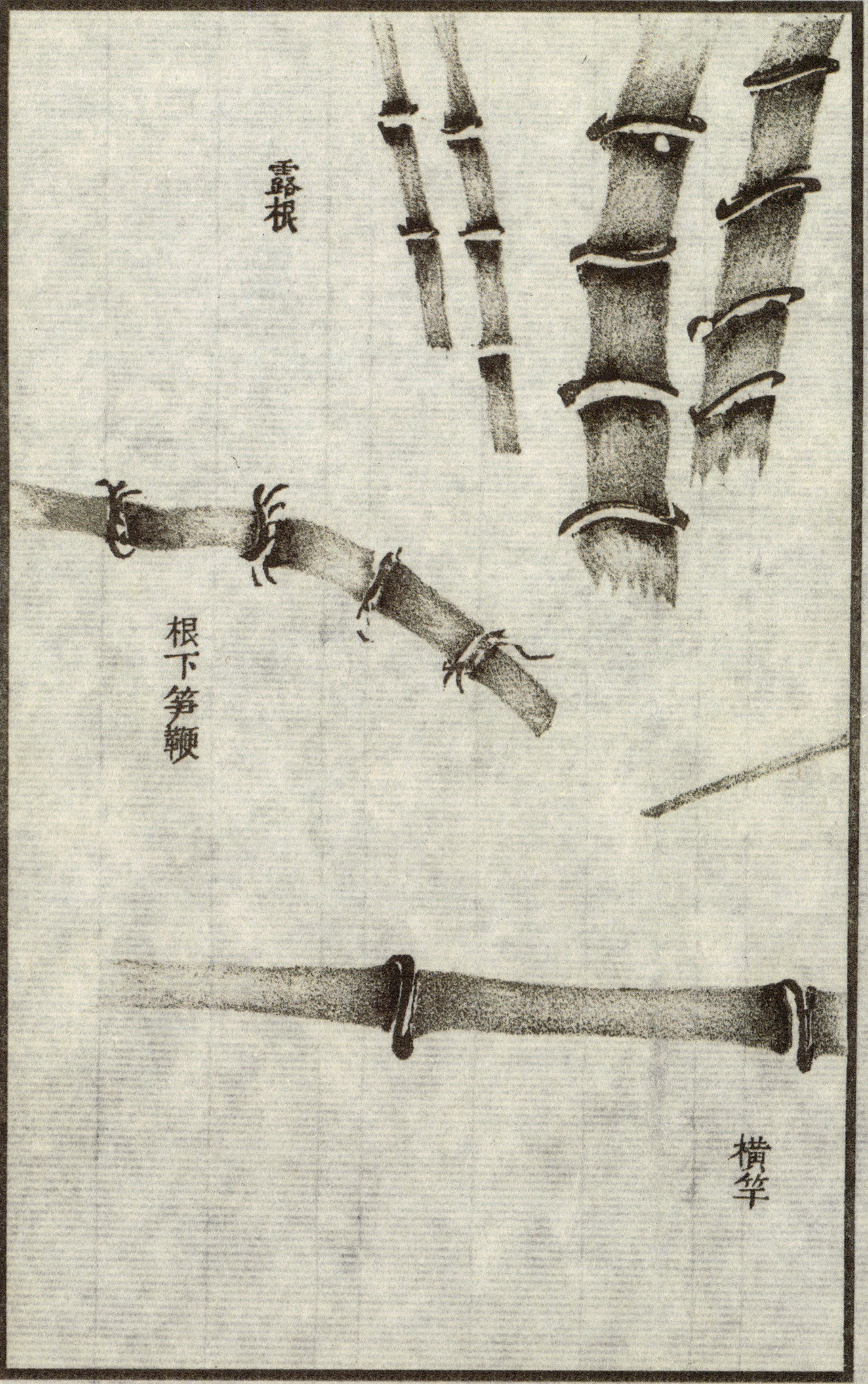

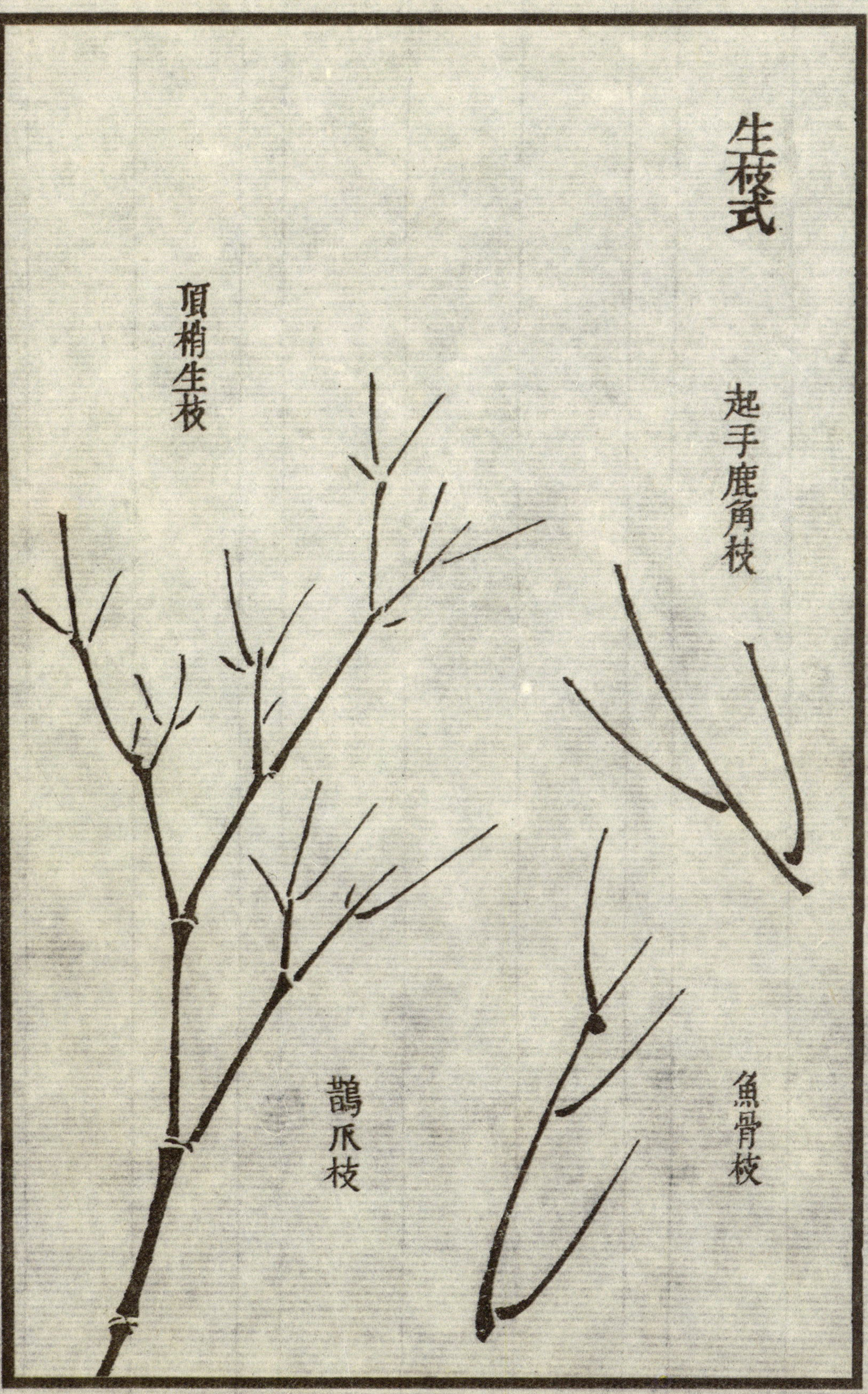

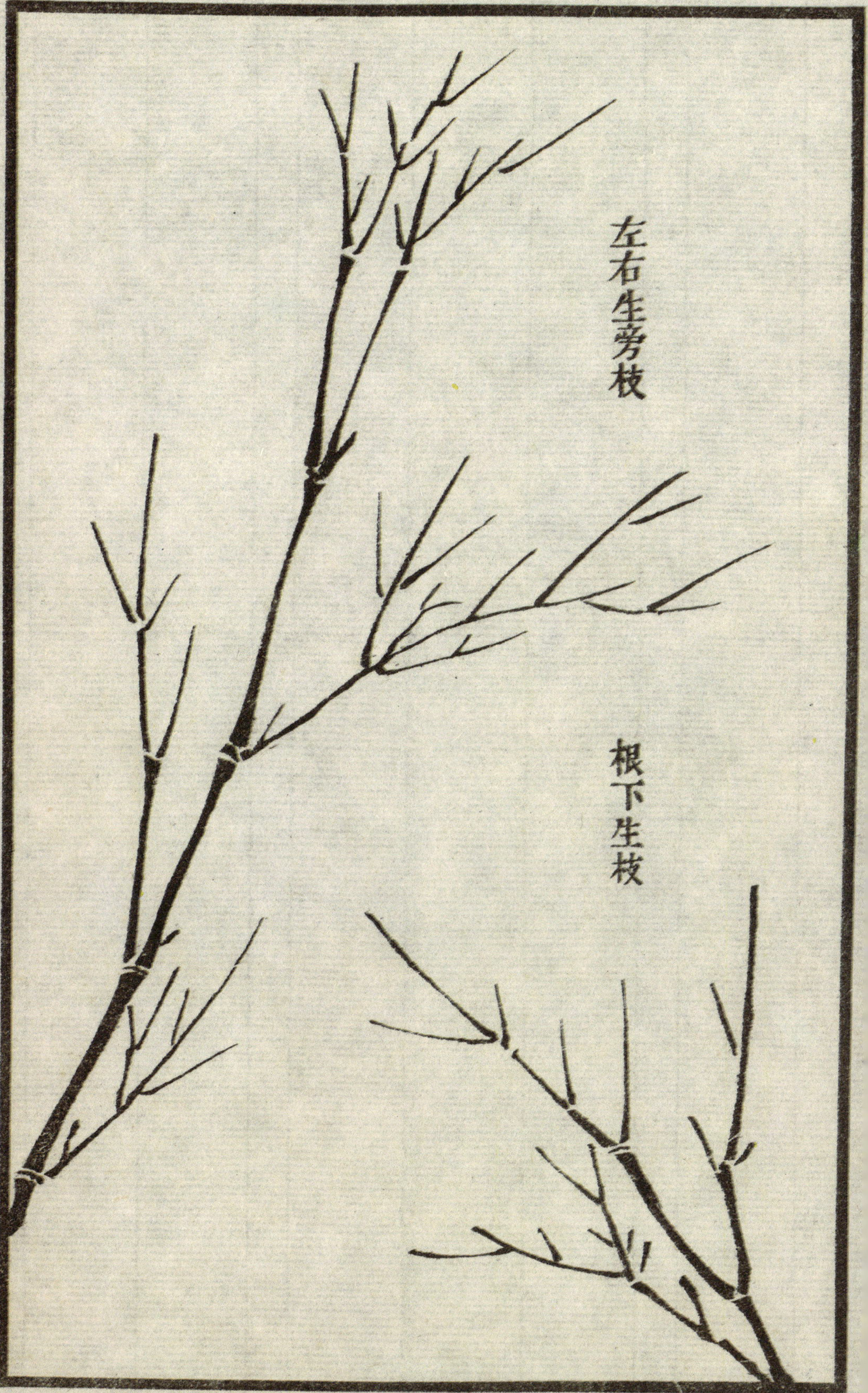
左右生旁枝
根下生枝

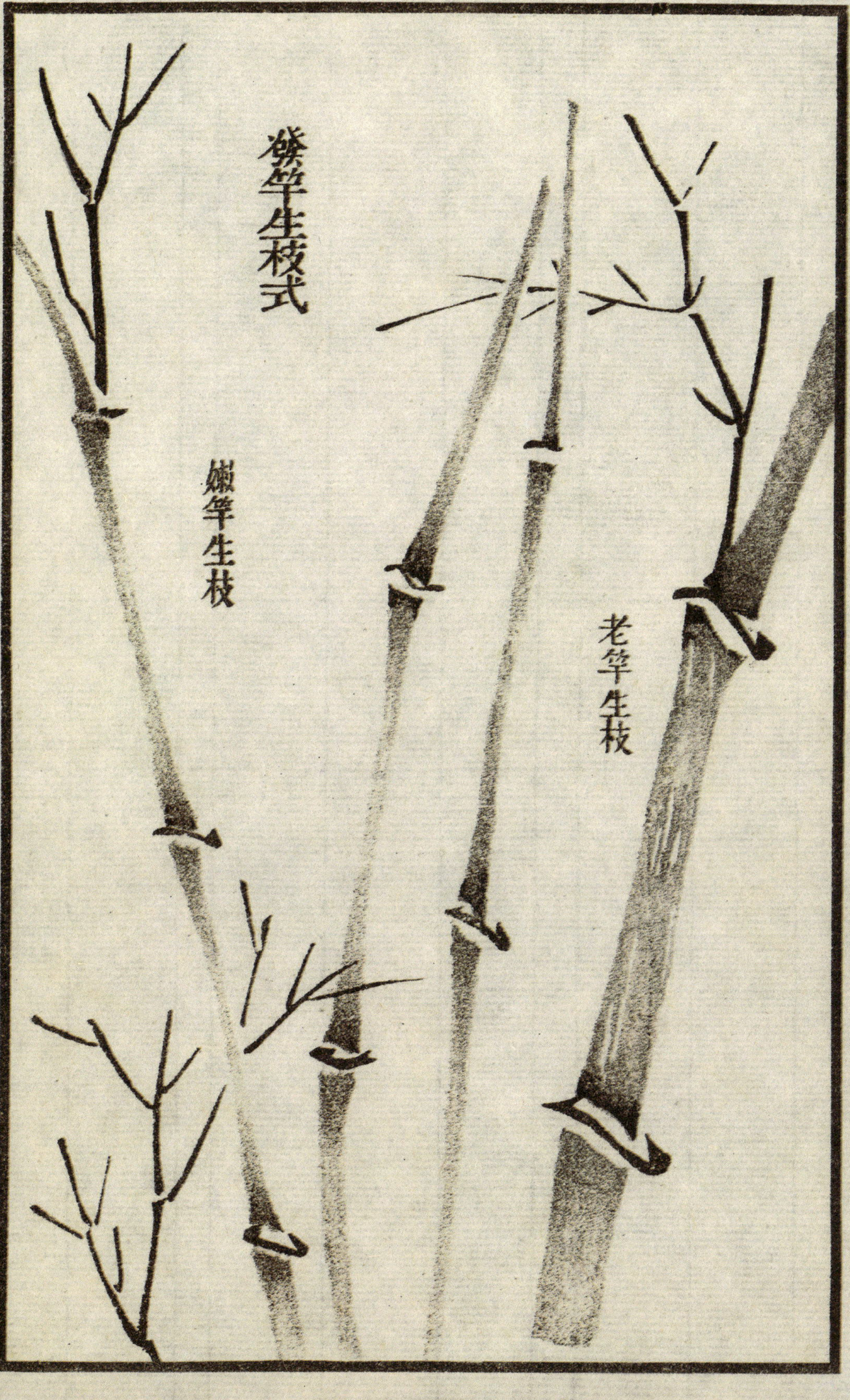
發竿生枝式
嫩竿生枝
老竿生枝

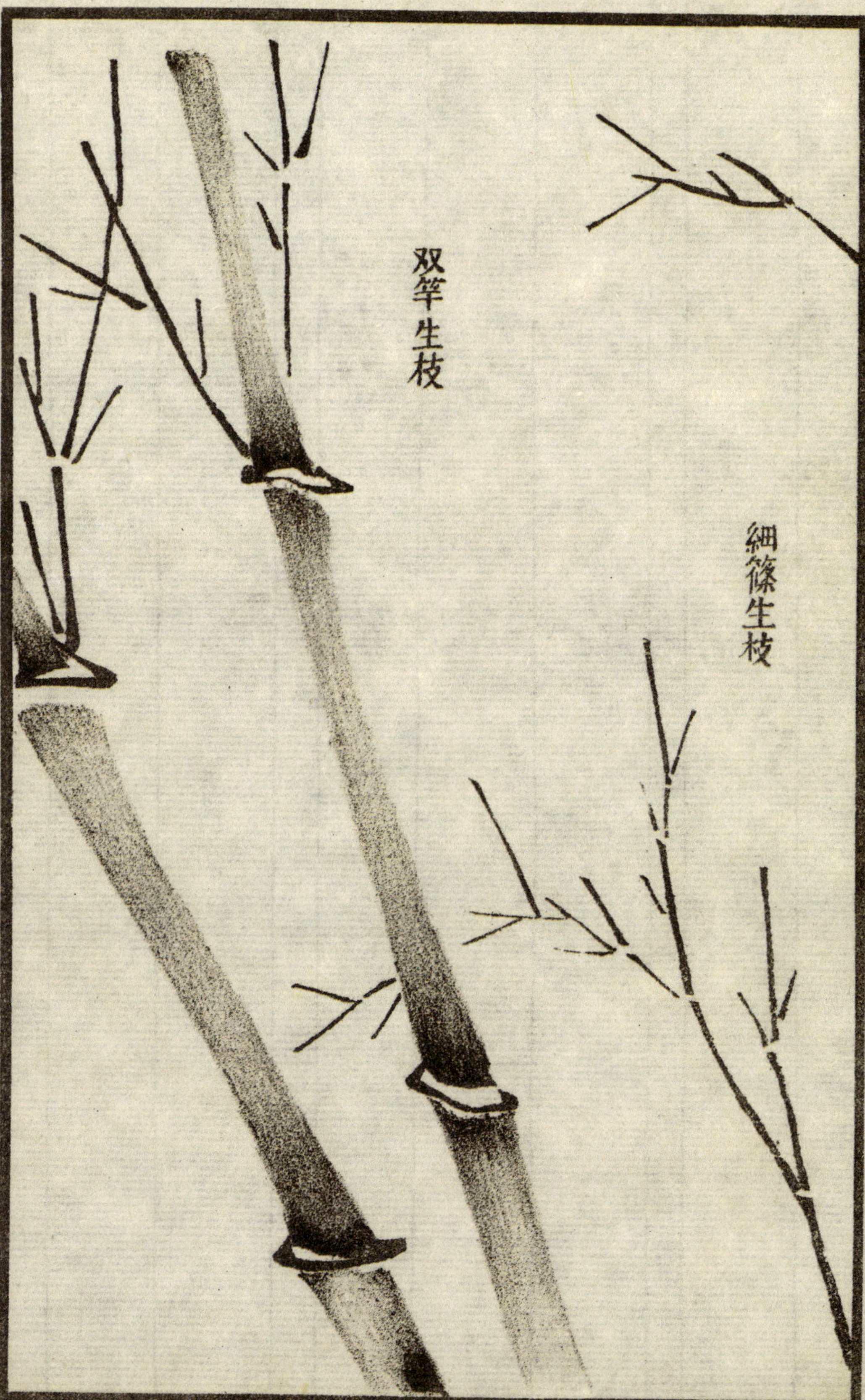

布仰葉式

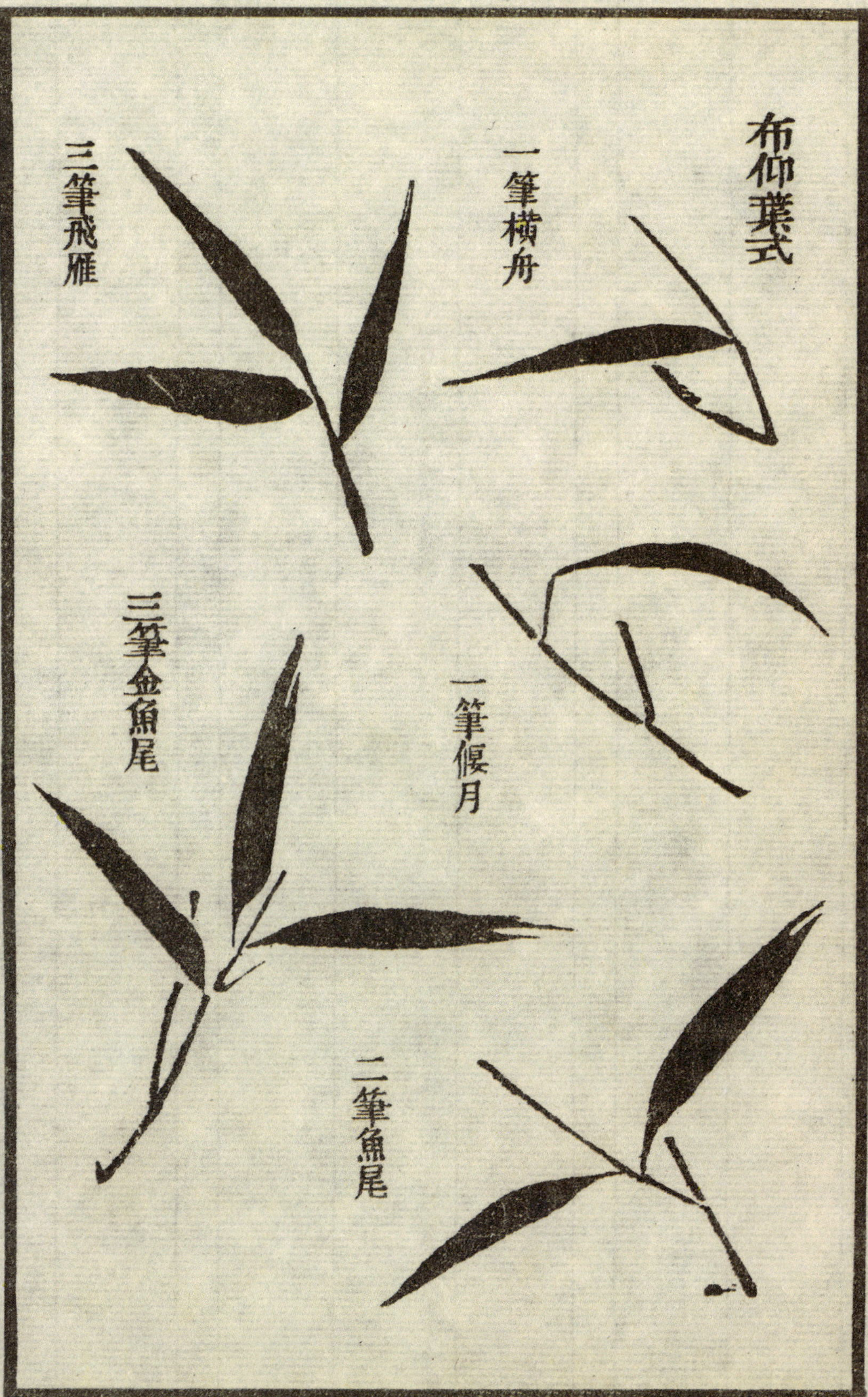

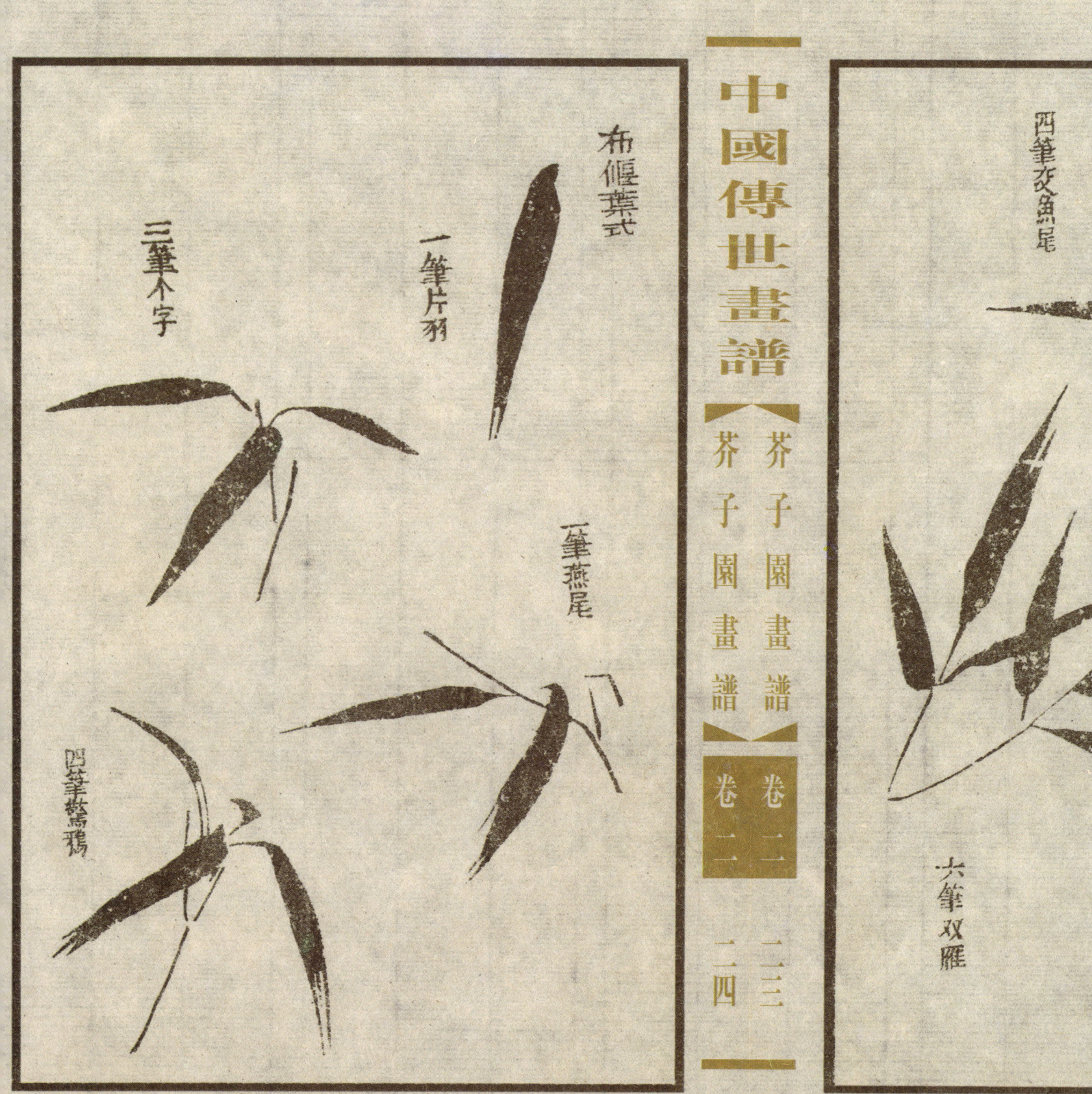

布偃葉式

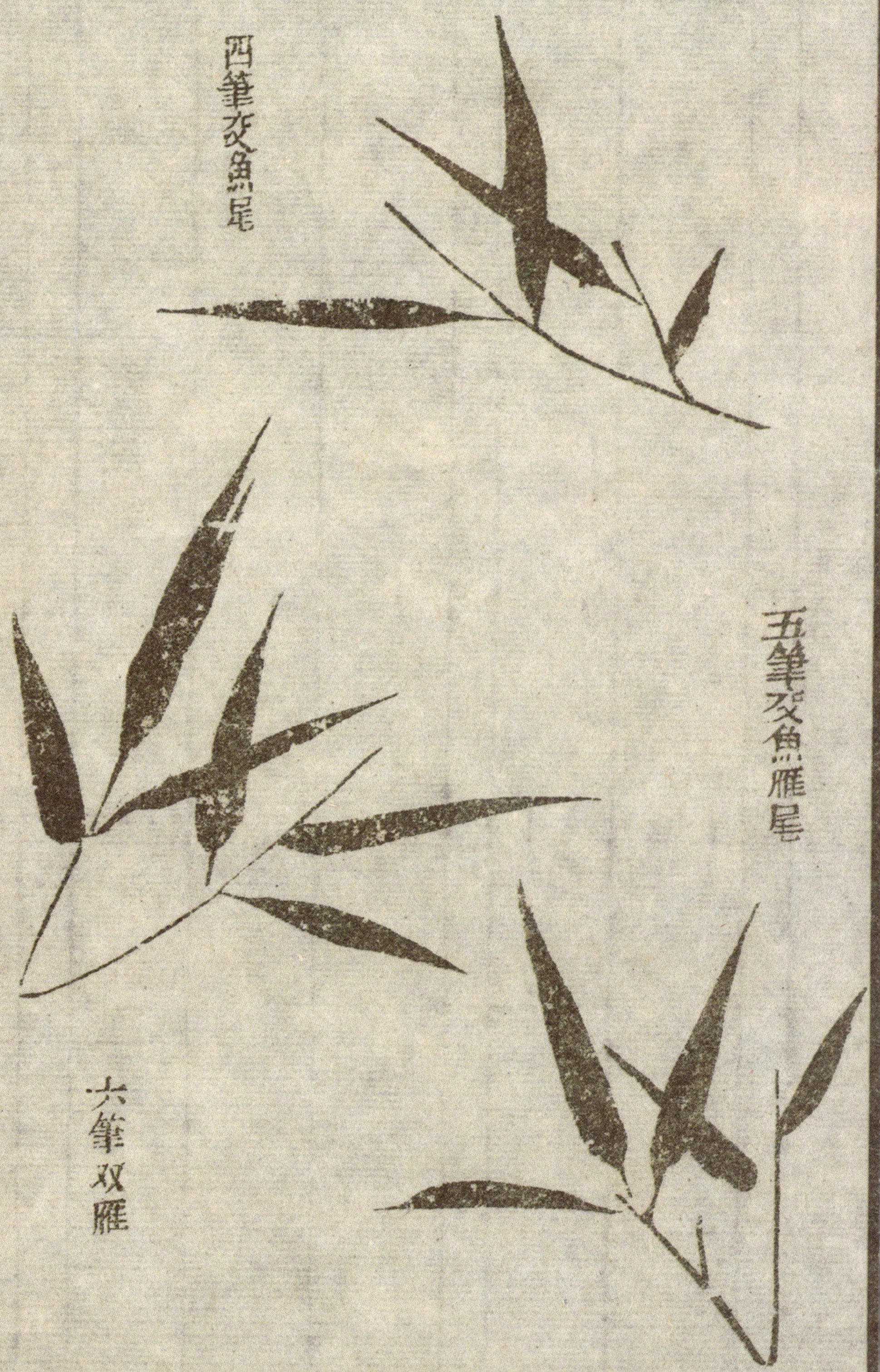

四筆落雁

五筆飛燕

七筆破双个字

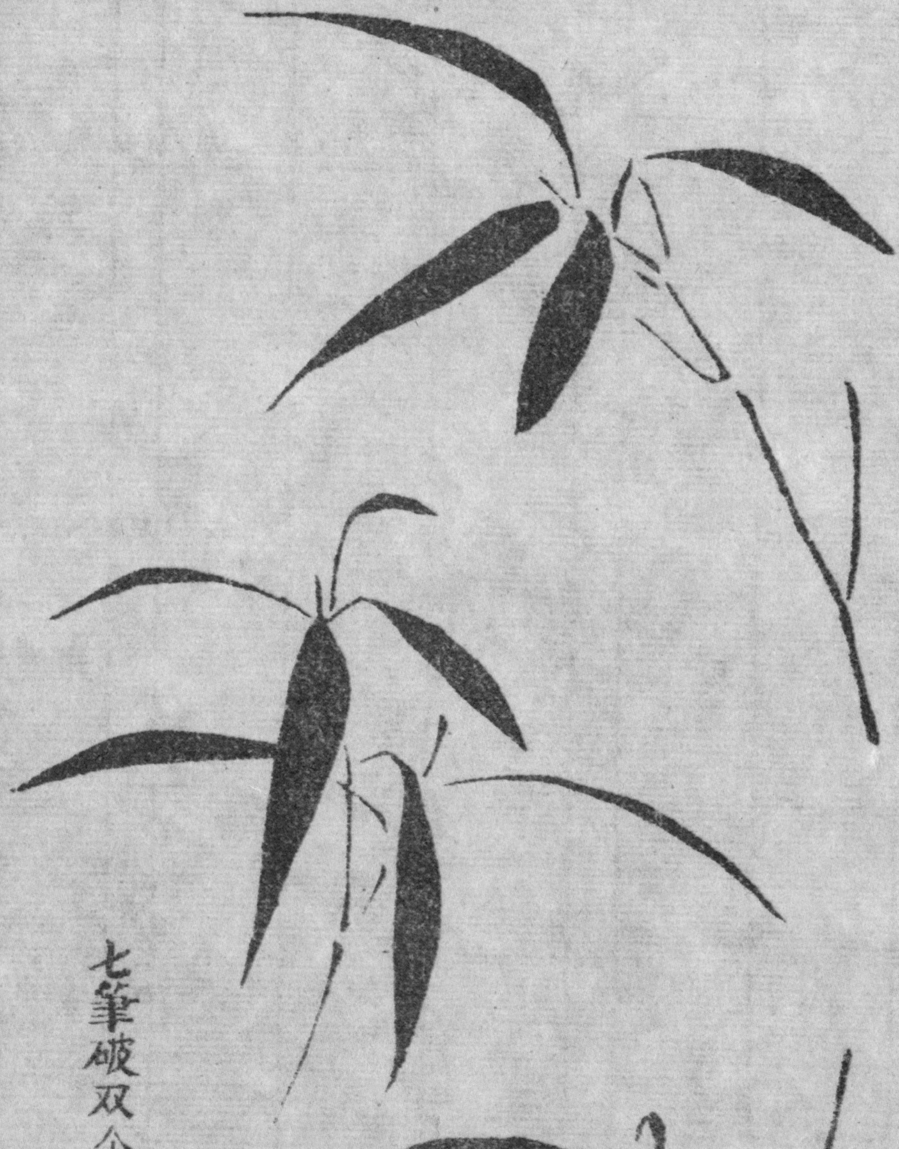

五筆破分字

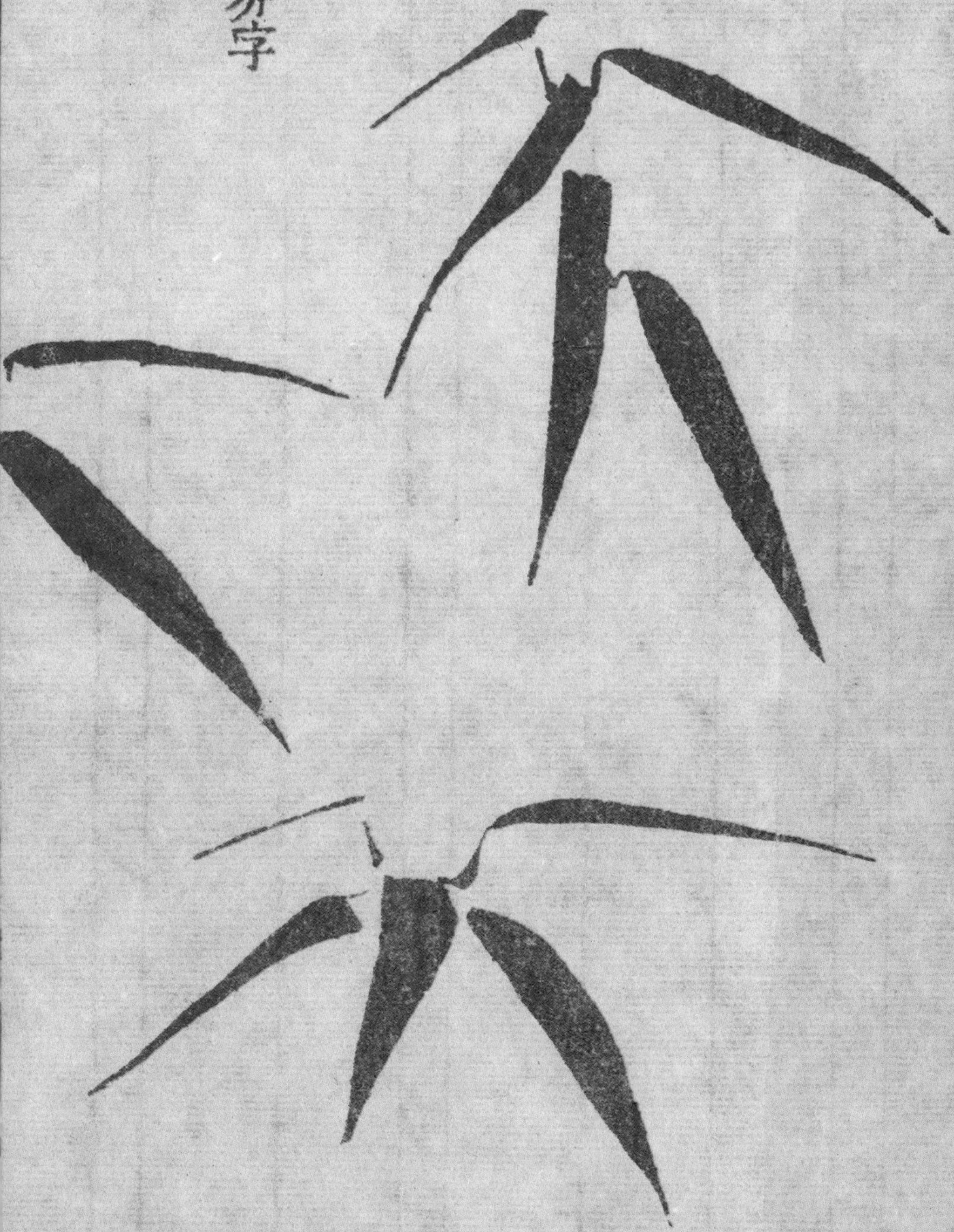

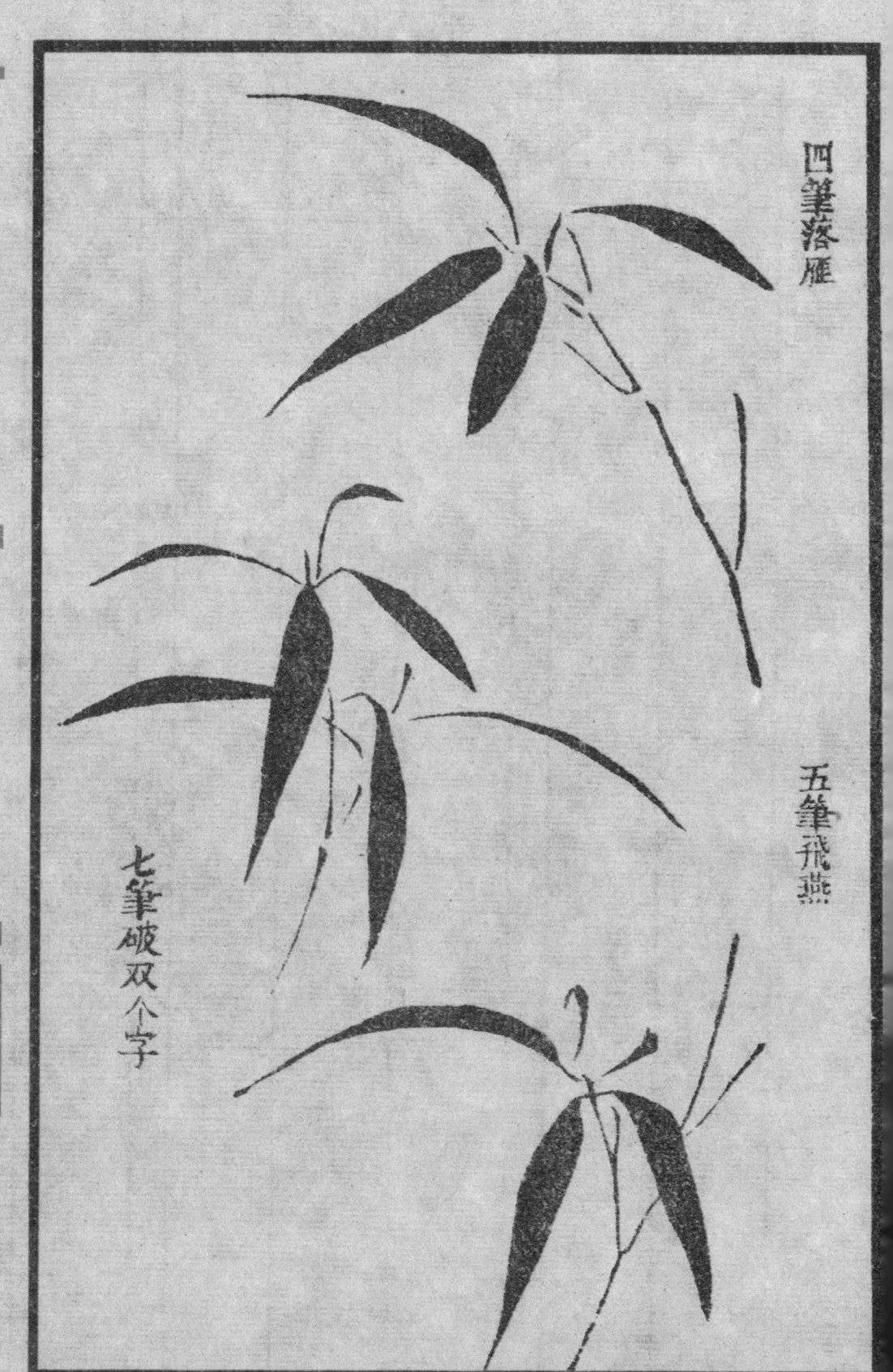

疊分字

結頂式

布葉生枝結頂

嫩葉出梢結頂

垂梢式

過牆大小二梢

橫梢式

新篁斜墜嫩枝

出梢式

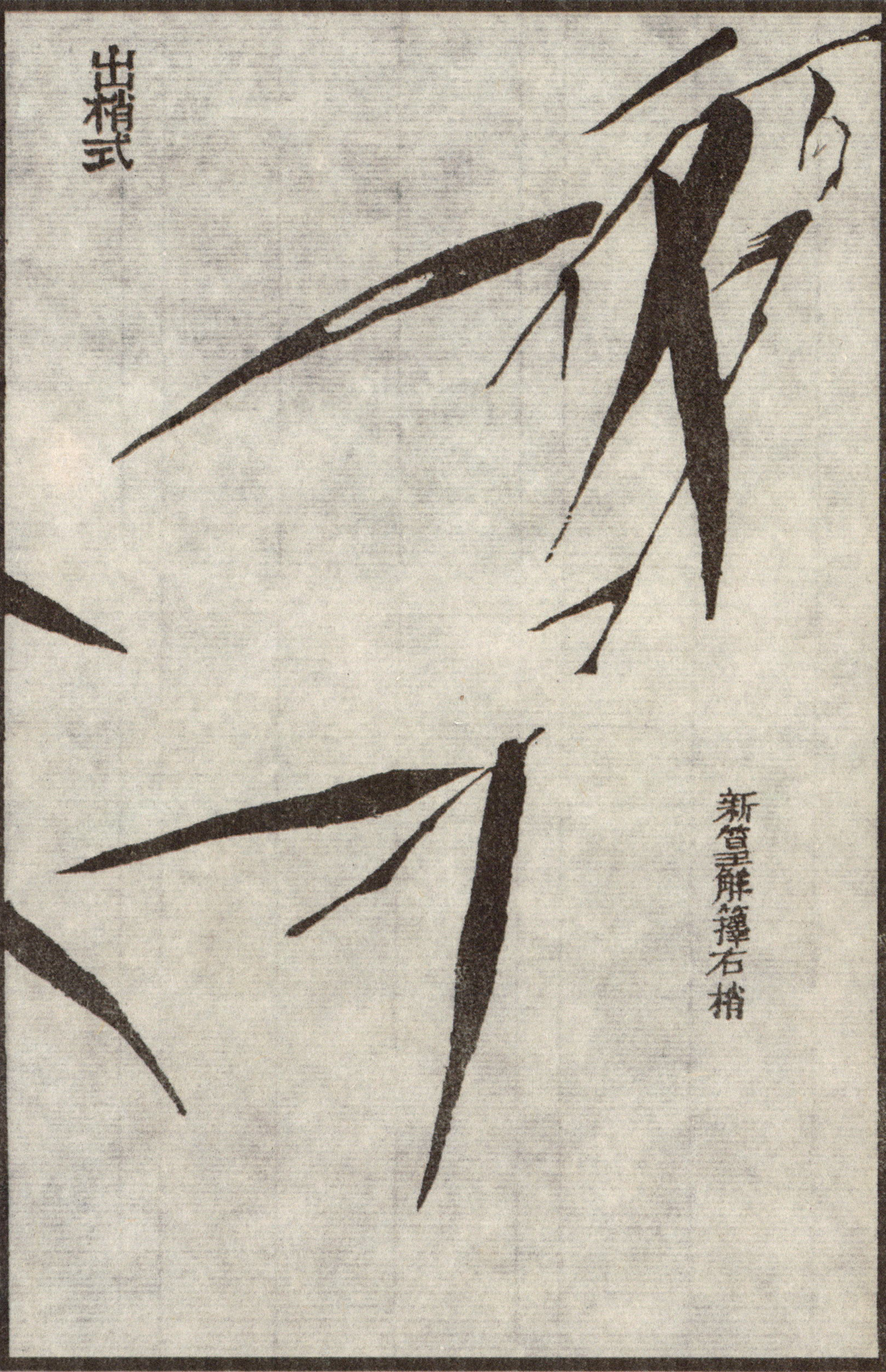

新篁解籜右梢

新篁解籜左梢

安根式

下截見根

根下苔草泉石

中國傳世畫譜

芥子園畫譜　卷二　三七

芥子園畫譜　卷二　三八

畫竹兼字法之四體竿勁直如篆節波趯如隸枝縱橫如草葉整齊如眞竹雖画則亦字矣墨竹不始于與可東坡然與可東坡始各擅其長有謂與可画竹是左氏東坡郤類莊子聿之奧妙又合乎古文肰則画竹胸無成竹固不可若胸無文字亦不可今芥子園之編定竹譜故予前立起手式一如作字四體之有八法此全圖已先創輯屬予鑒正加以删補至其筆之類左類莊識者自能區別予不敢居胡氏之添傳亦不欲蹈郭子之註莊也

辛巳竹醉日綺水王蓍識

虚心友石

中國傳世畫譜

芥子園畫譜 卷二 四三

芥子園畫譜 卷二 四四

新篁解籜

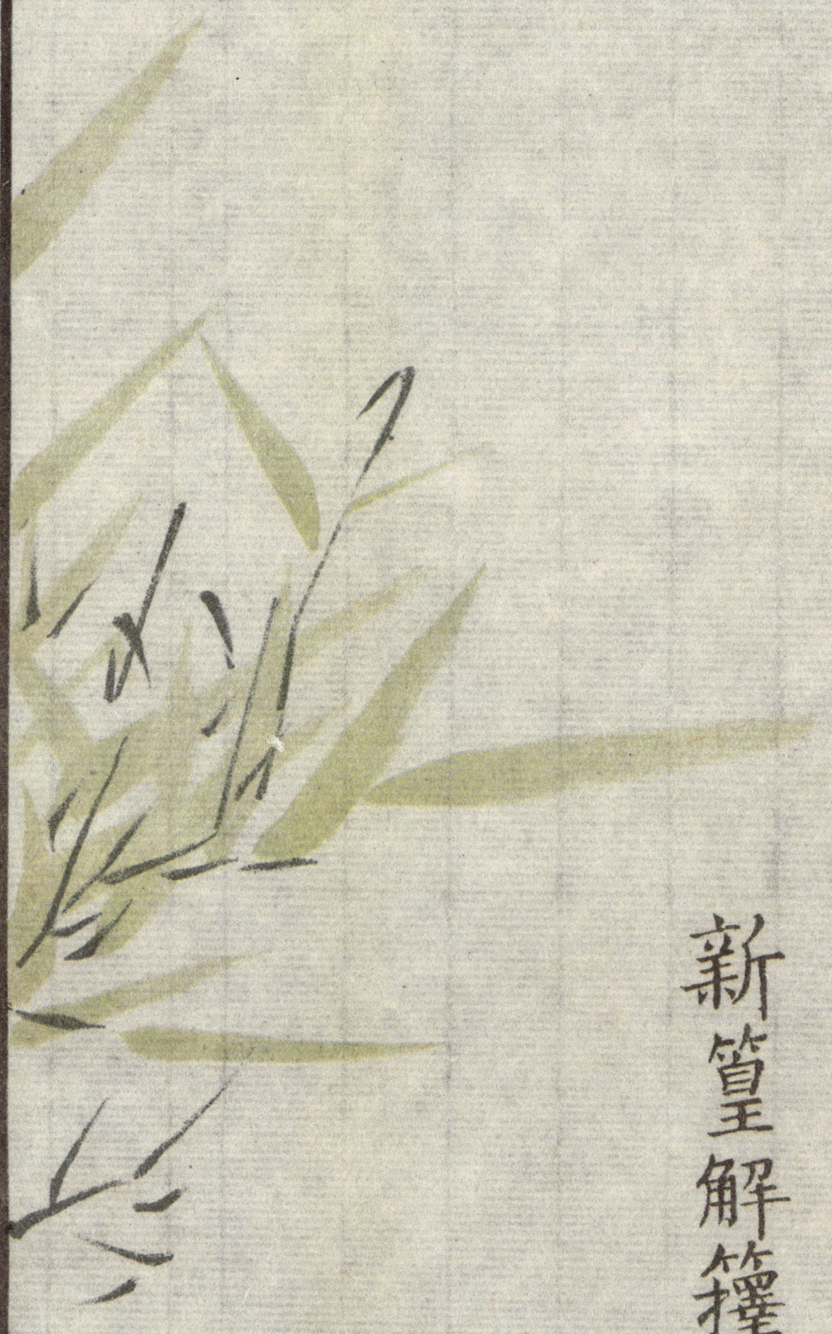

亂梢出墻

濃葉垂煙

雪根玉立

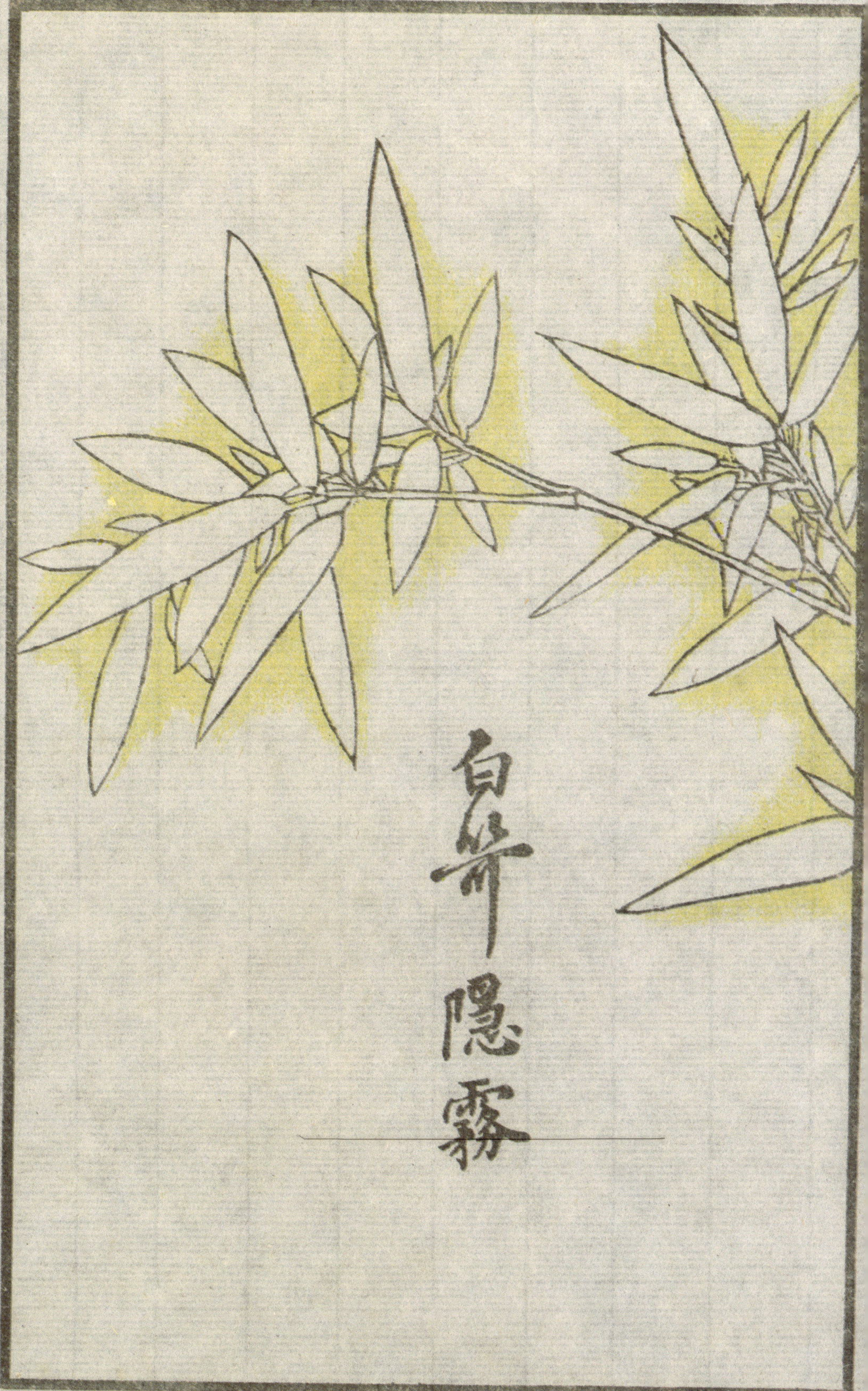
白竿隱霧

迎風取勢

輕筠滴露

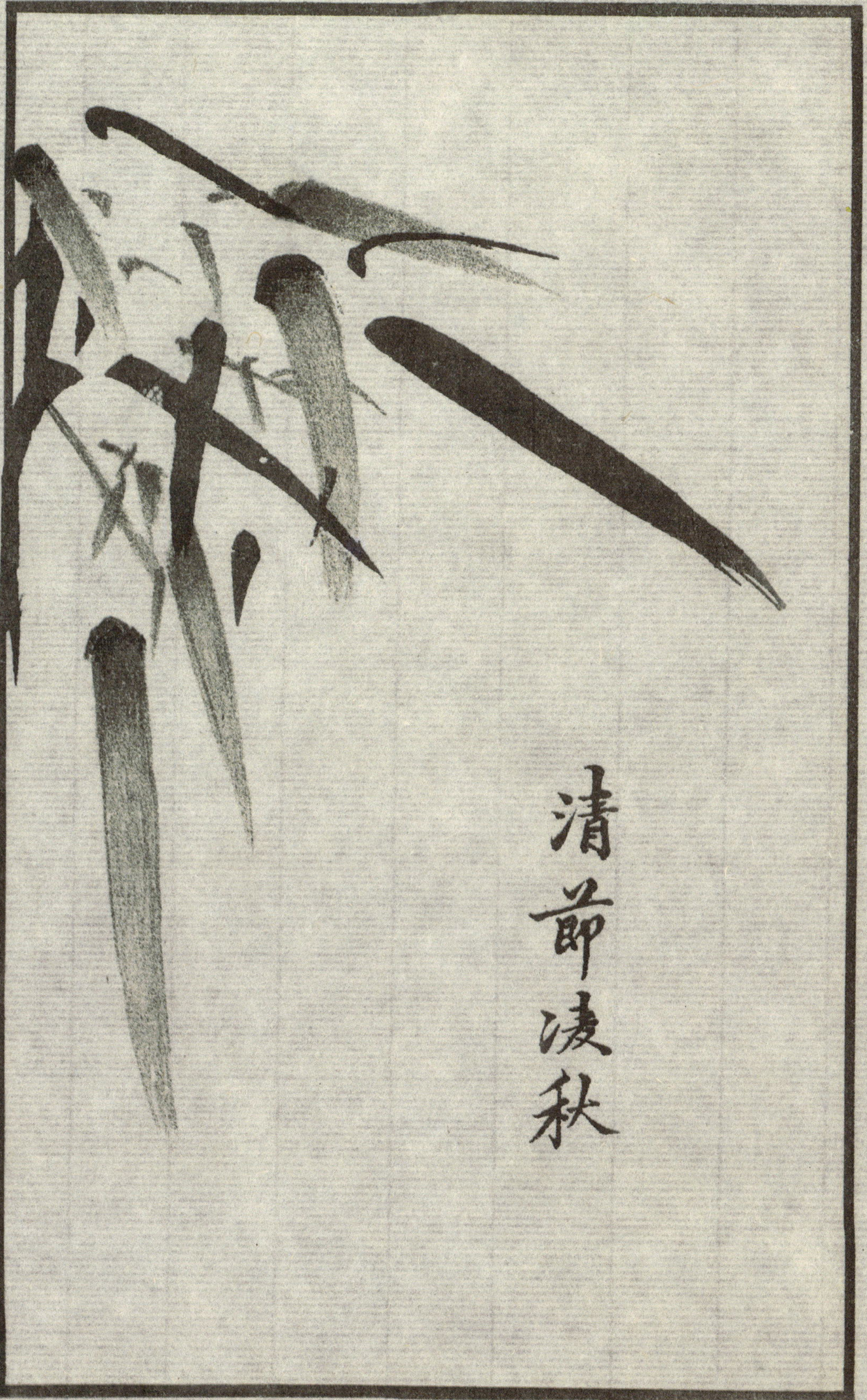
清節凌秋

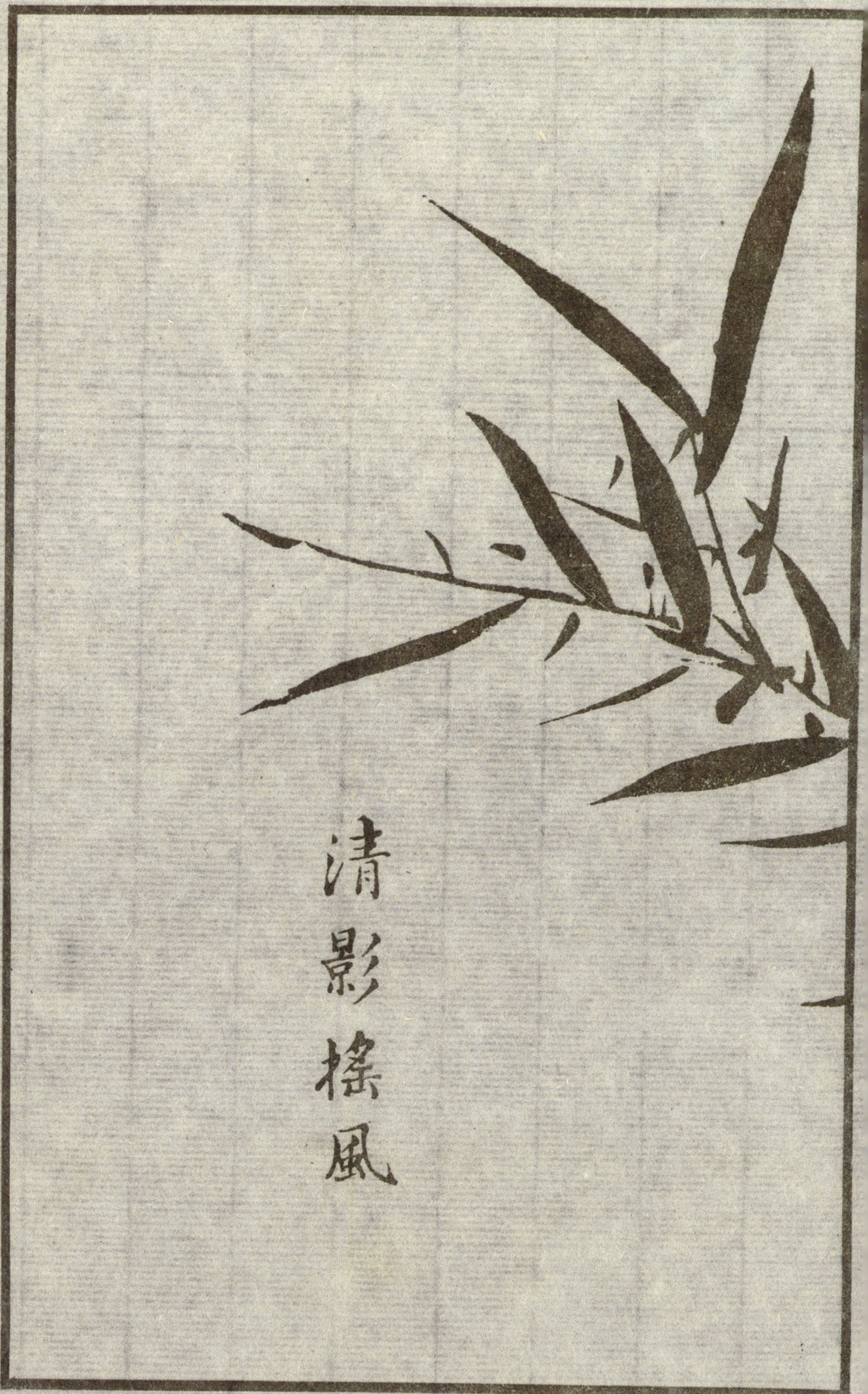
清影搖風

直節干霄

垂枝帶雨

湘江遺怨

露滌寒葉

飛白傳神

芥子園畫譜 卷二

風枝吟月

夭矯超靈

交幹拂雲

修筠抱節

高竿垂綠